ODD

et les

GÉANTS
DE GLACE

NEIL GAIMAN

ODD
et les
GÉANTS
DE GLACE

Illustrations de Brett Helquist

Traduit de l'anglais (américain)
par Valérie Le Plouhinec

Neil Gaiman est l'auteur de plusieurs livres pour enfants, parmi lesquels *Coraline* (Wiz, 2003) et *L'Étrange Vie de Nobody Owens* (Wiz, 2009). Il a également écrit de nombreux romans pour adultes, ainsi que des romans graphiques.

Titre original :

ODD AND THE FROST GIANTS

(Première publication : HarperColllins Children's Books,
a division of HarperCollins Publishers, New York, 2009)

© Neil Gaiman, 2009

Illustrations © Brett Helquist, 2009

Pour la traduction française :
Éditions Albin Michel, 2010

Pour Iselin et Linnea.

SOMMAIRE

Chapitre 1

ODD

IL ÉTAIT UNE FOIS un garçon nommé Odd[1], ce qui n'avait rien d'étrange ni d'inhabituel en ce temps et dans cette contrée-là. « Odd » signifiait « la pointe d'une lame », c'était un nom porte-bonheur.

Le garçon, en revanche, était un peu bizarre.

---

1. En anglais, *odd* signifie « bizarre, étrange, inhabituel ». (N.d.T.)

C'était du moins l'avis des autres villageois. Bizarre, il l'était sans doute; mais chanceux, certainement pas.

Son père avait péri au cours d'une expédition de pillage en mer deux années plus tôt, alors qu'Odd n'avait que dix ans. On avait déjà vu des hommes se faire tuer lors de ces raids, mais son père n'avait pas été occis par un Écossais, il n'était pas tombé glorieusement dans le feu du combat, en bon Viking. Non, il avait sauté par-dessus bord pour secourir l'un des petits poneys trapus qu'ils emmenaient comme bêtes de somme.

Ils amassaient sur ces poneys tout l'or, tous les objets précieux, toute la nourriture et toutes les armes qu'ils pouvaient trouver, après quoi les bêtes regagnaient péniblement le drakkar. Elles étaient bien les êtres les plus valeureux et travailleurs à bord. Après la mort d'Olaf le

Grand par la main d'un Écossais, le père d'Odd avait dû prendre soin des poneys. Il n'avait pas beaucoup d'expérience avec ces bêtes, étant bûcheron et sculpteur sur bois de son métier, mais il avait fait de son mieux. Sur la route du retour, l'un des poneys s'était libéré dans la tourmente, au large des îles Orcades, et était tombé à l'eau. Le père d'Odd, muni d'une corde, avait plongé dans la mer grise, il avait traîné l'animal jusqu'au navire et, aidé par les autres Vikings, l'avait hissé sur le pont.

Avant le lendemain matin il succombait au froid et à l'humidité, les poumons emplis d'eau.

De retour en Norvège, ils annoncèrent la nouvelle à la mère d'Odd, qui à son tour l'annonça au garçon. Celui-ci se contenta de hausser les épaules. Il ne pleura pas. Il ne dit rien.

Nul ne savait ce qu'il éprouvait. Nul ne savait

ce qu'il pensait. Et dans un village de bord de fjord, où chacun savait tout des affaires des autres, c'était exaspérant.

On n'était pas Viking à plein temps, à l'époque. Tout le monde avait un autre métier. Les raids en mer étaient une activité à laquelle s'adonnaient les hommes pour se divertir ou pour obtenir ce qui leur manquait au village. C'était ainsi qu'ils trouvaient leurs femmes, aussi. La mère d'Odd, aussi brune que son père était blond, avait été amenée jusqu'au fjord sur un drakkar venu d'Écosse. Elle chantait à Odd les ballades qu'elle avait apprises petite fille, bien avant que le père d'Odd lui eût arraché son couteau, l'eût jetée sur son épaule et l'eût portée jusqu'au drakkar.

Odd se demandait si l'Écosse lui manquait, mais lorsqu'il lui posait la question, elle disait que non, pas vraiment ; ce qui lui manquait, c'était des gens connaissant sa langue. Elle savait parler le langage des Normands, depuis le temps, mais avec un accent.

Le père d'Odd était un maître de la hache. Il possédait une cabane à pièce unique qu'il avait construite en rondins, loin dans la petite forêt derrière le fjord, et il partait souvent dans les bois pour revenir une semaine plus tard, sa charrette à bras lourdement chargée de troncs prêts à endurer les intempéries et à se fendre ; car, dans cette contrée, on fabriquait en bois tout ce que l'on pouvait : habitations et navires étaient faits de planches de bois, assemblées par des chevilles de bois. L'hiver, quand la neige épaisse empêchait tout voyage, le père d'Odd restait auprès de l'âtre pour s'adonner à la sculpture : il taillait dans le bois des visages, des jouets, des timbales, des bols, pendant que sa mère cousait et cuisinait et, toujours, chantait.

Le père d'Odd restait auprès de l'âtre pour s'adonner
à la sculpture : il taillait dans le bois des visages, des jouets,
des timbales, des bols...

Elle avait une très belle voix.

Odd ne comprenait pas les paroles de ses chansons, mais elle les lui traduisait après les avoir chantées, et la tête du garçon s'emplissait de beaux seigneurs chevauchant leur superbe destrier, un noble faucon au poing, toujours accompagnés d'un chien fidèle trottinant à leur côté, qui allaient se fourrer dans toutes sortes d'ennuis : combattre des géants, secourir des damoiselles en détresse, libérer les opprimés de la tyrannie.

Après la mort du père, sa mère chanta de moins en moins.

Mais Odd souriait toujours, et cela rendait les villageois fous de rage. Il continua de sourire même après l'accident qui lui estropia la jambe droite.

C'était trois semaines après que le drakkar fut revenu sans le corps de son père. Odd avait pris la hache paternelle, tellement énorme qu'il pouvait à peine la soulever, et l'avait traînée dans les bois, persuadé de savoir tout ce qu'il y avait à savoir sur l'abattage des arbres, et bien décidé à mettre sa science en pratique.

Peut-être aurait-il dû, comme il le reconnut devant sa mère par la suite, s'entraîner sur un arbre plus petit, avec une hache plus petite.

Ce qu'il fit n'en est pas moins remarquable.

Quand l'arbre lui était tombé sur le pied, il s'était servi de la hache pour creuser la terre et dégager sa jambe ; ensuite, il avait taillé une branche pour se faire une béquille, car les os de sa jambe étaient en miettes. Et allez savoir comment, il était rentré chez lui en traînant la lourde hache de son père, car le métal était rare dans ces collines : pour avoir une hache, il fallait la troquer ou la voler. Il n'allait pas abandonner celle-ci à la rouille.

Deux années passèrent, et la mère d'Odd épousa le gros Elfred. Il pouvait être sympathique lorsqu'il n'avait pas bu, mais il avait déjà quatre fils et trois filles d'un précédent mariage (sa femme était morte frappée par la foudre) et n'avait rien à faire d'un beau-fils infirme, si bien qu'Odd passa de plus en plus de temps dans les grands bois.

Odd adorait le printemps, l'époque où les torrents recommençaient à courir au fond des vallons et où le sous-bois se couvrait de fleurs. Il aimait bien l'été, quand les premières baies commençaient à mûrir, et l'automne, le temps des noix et des petites pommes. Il n'aimait pas l'hiver, où les villageois passaient le plus de temps possible dans la grande salle communale, à manger des racines et de la viande salée. L'hiver, les hommes se battaient, pétaient, chantaient, dormaient, se réveillaient et se battaient encore, cependant que les femmes secouaient la tête, cousaient, tricotaient et ravaudaient.

En mars, le plus dur de l'hiver était passé. La neige fondait, les torrents reprenaient leur course et le monde s'éveillait pour redevenir lui-même.

Mais pas cette année-là.

L'hiver s'attarda, tel un grabataire qui refuse de mourir. Les jours gris se succédaient et la glace restait dure ; le monde demeurait hostile et froid.

Dans le village, les gens se tapaient sur les nerfs. Il y avait des mois qu'ils se regardaient en chiens de faïence d'un côté à l'autre de la grande salle. Il était temps que les hommes sortent les drakkars en mer, temps que les femmes commencent à sarcler la terre avant de planter. Les jeux devenaient méchants. Les blagues, cruelles. Les bagarres faisaient mal.

C'est pourquoi, un matin de la fin mai – quelques heures avant le lever du soleil, alors qu'il gelait ferme et que le sol était encore dur comme fer, pendant que le gros Elfred, ses enfants et la mère d'Odd dormaient encore –, le garçon enfila ses vêtements les plus épais, les plus chauds. Il déroba un demi-saumon noirci de fumée qui pendait à une poutre de la maison du gros Elfred et une marmite, dans laquelle il jeta une poignée de braises rougeoyantes prélevées dans l'âtre. Il prit aussi la deuxième meilleure hache de son père, qu'il noua à sa ceinture avec une sangle de cuir. Il sortit en boitant et se dirigea vers la forêt.

La neige était profonde et traîtresse, couverte d'une épaisse croûte de glace étincelante. Un homme doté de deux jambes solides aurait déjà eu du mal à y marcher, mais pour un garçon muni d'une bonne jambe, d'une autre en très mauvais état et d'une béquille en bois, la moindre butte était une montagne.

Odd traversa un lac gelé, qui aurait dû être en pleine eau depuis des mois, et s'enfonça profondément dans les bois. Les jours semblaient presque aussi courts qu'en plein hiver, et bien que ce fût l'après-midi, il faisait déjà noir lorsqu'il atteignit la vieille cabane de bûcheron de son père.

La porte était bloquée par la neige, et Odd dut prendre une pelle en bois pour la déblayer avant d'entrer. Il mit du petit bois dans la marmite et ranima le feu jusqu'à pouvoir sans danger le transférer dans la cheminée, où les vieilles bûches étaient sèches.

Par terre, il trouva un morceau de bois, légèrement plus gros que son poing. Il faillit le jeter dans le feu mais, ayant senti sous ses doigts des formes sculptées, il le mit de côté pour le regarder au grand jour. Il récolta de la neige dans un petit poêlon et la fit fondre sur le feu, et il mangea du poisson fumé et de l'eau parfumée aux baies.

C'était bon. Il y avait encore des couvertures dans le coin, et une paillasse, et il pouvait imaginer que la petite pièce avait gardé l'odeur de son père, et que personne ne le battait ni ne le traitait d'infirme ou d'idiot ; et ainsi, après avoir nourri le feu afin qu'il brûle jusqu'au matin, il s'endormit plutôt heureux.

CHAPITRE 2

LE RENARD, L'AIGLE ET L'OURS

ODD FUT RÉVEILLÉ par un grattement contre la hutte. Il se leva péniblement, pensa brièvement aux histoires de trolls et de monstres, espéra que ce n'était pas un ours, puis ouvrit la porte. Il faisait jour au-dehors, signe que la matinée était bien avancée, et sur la neige un renard le regardait fixement, d'un air insolent.

Il avait le museau étroit, les oreilles droites et pointues, l'air calculateur et rusé. Dès qu'il sut qu'Odd l'avait vu, il bondit en l'air, comme pour faire l'intéressant, s'éloigna un petit peu et s'arrêta. Roux orangé telle une flamme, il fit un ou deux pas dansants vers Odd, se détourna, puis lui lança un regard en arrière comme s'il l'invitait à le suivre.

Cet animal, en conclut Odd, avait une idée en tête. Lui n'en avait aucune, hormis l'intention générale de ne jamais rentrer au village. Et on n'avait pas tous les jours l'occasion de suivre un renard.

Si bien qu'il le suivit.

Le renard se déplaçait comme un feu follet, toujours en avant de lui. Si Odd ralentissait, si le terrain était trop accidenté, si le garçon se fatiguait, alors tout simplement il l'attendait patiemment, au sommet de la butte la plus

proche ; puis sa queue se redressait et il repre-
nait sa progression dansante dans la neige.

Odd persévéra.

Un oiseau décrivait des cercles très haut au-
dessus de leurs têtes. *Un faucon*, pensa Odd,
après quoi le volatile se posa dans un arbre
mort ; Odd vit comme il était grand et sut que
c'était un aigle. Il inclinait bizarrement la tête
sur le côté, et Odd eut la certitude que l'oiseau
l'observait.

Le garçon gravit une colline et en descendit
une autre à la suite du renard (descendre lui
était plus difficile que monter, dans la neige,
avec un pied infirme et une béquille, et il
tomba plus d'une fois), puis grimpa sur une
autre jusqu'à mi-hauteur, là où un pin mort
surgissait de la pente comme une dent pourrie.
Un bouleau argenté poussait tout à côté du pin.
Et c'est là que le renard s'arrêta.

Ils furent accueillis par un mugissement triste.

L'arbre mort avait un trou sur le côté, un de ces trous que les abeilles habitent parfois et remplissent de leurs rayons de miel. Les gens du village tiraient du miel cet hydromel alcoolisé qu'ils buvaient pour célébrer le retour de leurs Vikings, ou le milieu de l'hiver, ou tout autre prétexte à faire bombance.

Un énorme ours brun avait la patte avant prise dans la cavité du pin.

Odd eut un sourire amer. On devinait facilement ce qui était arrivé. Pour atteindre le trou dans le pin, l'ours avait pesé de tout son poids contre le bouleau, de manière à le faire ployer et à l'écarter. Mais au moment où il avait enfoncé sa patte dans le trou, il avait soulevé son poids du bouleau, qui s'était brutalement redressé; si bien qu'à présent il était complètement coincé.

Un énorme ours brun avait la patte avant
prise dans la cavité du pin.

L'animal poussa une nouvelle plainte, une lamentation profondément mélancolique. Il avait l'air malheureux, mais pas agressif.

Avec prudence, Odd se rapprocha de l'arbre.

Au-dessus d'eux, l'aigle volait en cercles.

Odd décrocha sa hache de sa ceinture et fit le tour du pin. Il tailla un bâton, long d'environ six pouces, et s'en servit pour écarter les deux arbres ; il ne voulait pas broyer la patte de l'ours. Puis, à coups nets et précis, il attaqua le bouleau de sa lame. Le bois était dur, mais il tapa sans relâche, et bientôt il fut tout près de l'avoir entièrement tranché.

Odd regarda l'ours. L'ours regarda Odd avec ses grands yeux bruns. Odd lui parla à voix haute.

– Je ne peux pas courir. Alors si tu veux me manger, je serai une proie facile. Mais j'aurais dû m'en inquiéter plus tôt, pas vrai ? C'est trop tard, maintenant.

Il respira un grand coup et abattit une dernière fois sa hache. Le bouleau bascula et tomba du côté opposé à l'ours, qui cligna des yeux et retira sa patte du trou dans le pin. Elle dégoulinait de miel.

L'ours se lécha la patte d'une langue étonnamment rose. Odd, qui avait grand faim, préleva un fragment de rayon au bord du trou et mangea tout, cire comprise. Le miel lui coula dans la gorge et le fit tousser.

L'ours émit une sorte de ronflement. Il tendit la patte dans l'arbre, en sortit un énorme rayon et l'engloutit en deux bouchées. Puis il se dressa sur ses pattes arrière et rugit.

Odd se demanda s'il allait mourir à présent, si le miel n'avait été qu'un hors-d'œuvre ; cependant l'ours se remit à quatre pattes et continua résolument de vider l'arbre de son miel.

La nuit tombait.

Odd savait qu'il était temps de rentrer chez lui. Il entreprit de redescendre la colline, mais, presque arrivé en bas, se rendit compte qu'il ignorait absolument où se trouvait sa hutte. Il était arrivé ici en suivant le renard, or celui-ci n'allait pas le raccompagner. Il tenta de se dépêcher, trébucha sur une plaque de glace, et sa béquille s'envola. Il atterrit la tête la première dans la neige durcie.

Il rampa vers sa béquille. À ce moment-là, il sentit un souffle chaud dans sa nuque.

— Salut, l'ours, dit-il d'un ton guilleret. Tu ferais bien de me manger. Je me rendrais plus utile en nourrissant un ours qu'en mourant de froid sur la glace.

L'ours n'avait pas l'air de vouloir le dévorer. Il s'assit sur la glace devant lui et lui fit un signe de la patte.

— C'est vrai ? lui demanda Odd. Tu ne vas pas me manger ?

L'ours poussa une sorte de grondement du fond de la gorge. Mais c'était un bruit de mélancolie, pas de faim, et Odd décida de tenter sa chance. Après tout, c'était déjà la plus étrange des journées.

Il grimpa sur le dos de l'ours, en agrippant sa béquille de la main gauche et la fourrure de la droite. L'ours se leva lentement, s'assura que le garçon était bien installé, puis s'élança au galop dans le crépuscule.

À mesure qu'il prenait de la vitesse, le froid traversait les vêtements d'Odd et le glaçait jusqu'aux os.

Le renard filait devant, l'aigle volait au-dessus, et Odd eut une pensée folle, heureuse : *Je suis exactement comme les preux chevaliers des ballades de ma mère. Mais sans le cheval, le chien ni le faucon.*

Il pensa aussi : *Je ne pourrai jamais raconter*

cela à personne, car on ne me croirait pas. Même moi, je n'y croirais pas.

La neige tombait des branches qui frottaient contre eux et lui piquaient le visage, mais il riait en chemin. La lune se leva, pâle et immense, et froide, froide, mais Odd rit de plus belle, car sa hutte l'attendait, et qu'il était un seigneur impossible à cheval sur un ours, et parce qu'il était Odd, parce qu'il était bizarre.

L'ours s'arrêta devant la cabane d'Odd, lequel descendit, dégringolant à demi, du dos de la bête. Il se remit debout à l'aide de sa béquille et dit :

– Merci.

Il crut voir l'ours hocher la tête dans le clair de lune, mais peut-être l'avait-il imaginé.

Il y eut un grand battement d'ailes, et l'aigle se posa sur la neige à quelques pieds de lui. Il inclina la tête pour le contempler d'un œil couleur de miel. À la place de l'autre œil, il n'y avait que du noir.

Odd regagna sa porte. Le renard l'y attendait déjà, assis comme un chien. L'ours le suivit à pas feutrés jusqu'à la hutte.

Odd regarda les animaux l'un après l'autre.

– Quoi ? dit-il d'un ton irrité, bien que la réponse fût évidente.

Alors il ajouta :

– Au point où nous en sommes, entrez donc.

Il ouvrit la porte. Et ils entrèrent.

CHAPITRE 3

LA CONVERSATION NOCTURNE

ODD S'ÉTAIT IMAGINÉ que le demi-saumon le nourrirait pendant au moins une semaine. Mais les ours, les renards et les aigles, comme il allait le découvrir, sont tous friands de saumon, et il se dit que les nourrir était le moins qu'il pût faire pour les remercier de l'avoir raccompagné chez lui. Ils n'en laissèrent pas une miette, mais seuls Odd et l'aigle semblaient rassasiés. Le renard et l'ours, apparemment, étaient encore affamés.

— Nous trouverons autre chose à manger demain, dit Odd. Maintenant, dormez.

Les animaux le regardaient fixement. Il rejoignit la paillasse et grimpa dessus, non sans avoir soigneusement appuyé la béquille contre le mur pour se relever à son réveil. Le lit n'avait pas du tout l'odeur de son père, comprit-il en se couchant. Il ne sentait que la paille. Odd ferma les yeux, et il dormit.

Des rêves d'obscurité, d'éclairs, d'instants — rien à quoi se raccrocher, rien qui pût le réconforter. Alors s'insinua dans le rêve une voix lugubre et tonitruante qui protestait :

— Ce n'est pas ma faute.

À quoi une voix plus aiguë, amère et ironique, répondit :

— Mais non, bien sûr. Je t'avais pourtant dit

de ne pas appuyer sur cet arbre. Tu n'écoutes rien.

– J'avais faim. Je flairais le miel. Tu ne sais pas ce que c'était, de renifler ce miel. C'était meilleur que de l'hydromel. Meilleur que de l'oie rôtie.

Ensuite, la voix lugubre, si grave qu'elle fit vibrer le ventre d'Odd, changea de ton.

– Et si quelqu'un est mal placé pour faire des reproches, c'est bien toi. C'est à cause de toi que nous sommes dans ce pétrin.

– Nous étions d'accord, il me semble. Je pensais que nous n'allions pas rabâcher sans cesse une petite erreur de rien du tout…

– De rien du tout ?

Alors une troisième voix, rude et stridente, poussa un cri perçant :

– Silence !

Le silence se fit. Odd se retourna. Les braises

« C'est à cause de toi que nous sommes dans ce pétrin. »

jetaient une lueur, suffisante pour qu'il pût distinguer l'intérieur de la hutte, suffisante pour lui confirmer qu'il n'y avait pas trois personnes avec lui. Il n'y avait que lui, le renard, l'ours, l'aigle...

Quels qu'ils soient, pensa Odd, *ils n'ont pas l'air de manger les gens.*

Il s'assit le dos contre le mur. Ni l'ours ni l'aigle ne lui prêtèrent attention. Le renard lui jeta un regard rapide de ses yeux verts.

– Vous parliez, fit remarquer Odd.

Les animaux le regardèrent, puis se regardèrent entre eux. Ils ne dirent pas réellement : «Qui ? Nous ?», mais c'était bien ce qu'exprimaient leur attitude, leur posture.

– Quelqu'un parlait, insista Odd, et ce n'était pas moi. Il n'y a personne d'autre ici. Conclusion : c'était vous. Et ce n'est pas la peine de vous disputer.

– Nous ne nous disputions pas, rétorqua l'ours, car nous ne savons pas parler.

Puis il ajouta :

– Oups !

Le renard et l'aigle lui lancèrent un regard furibond ; il mit une patte devant ses yeux et prit un air penaud.

Odd soupira.

– Lequel d'entre vous veut bien m'expliquer ce qui se passe ?

– Il ne se passe rien, dit vivement le renard. Juste quelques animaux qui parlent. Pas de quoi te tracasser. Ça arrive tous les jours. Tu seras débarrassé de nous à la première heure demain matin.

L'aigle fixa sur Odd son œil unique. Puis il se tourna vers le renard.

– Explique-lui !

Le renard remua, mal à l'aise.

– Pourquoi moi ?

– Oh, intervint l'ours, je ne sais pas. Peut-être parce que *tout cela est de ta faute* ?

– C'est un peu fort, répliqua le renard. Reprocher toute l'histoire à un gars comme moi. Ce n'est pas comme si je l'avais fait exprès. Ça aurait pu arriver à n'importe lequel d'entre nous.

– Mais *qu'est-ce* qui aurait pu arriver ? s'impatienta Odd. Et pourquoi savez-vous parler ?

L'ours se leva sur ses quatre pattes. Il poussa un grondement, puis dit :

– Nous savons parler car, ô enfant mortel – n'aie crainte –, sous ces déguisements d'animaux nous portons… enfin non, pas des déguisements, je veux dire que nous *sommes* vraiment un ours, un renard et un gros oiseau, et c'est vraiment la poisse, mais où en étais-je… ?

– Des dieux ! s'écria l'aigle.

– Des dieux ? répéta Odd.

– Ma foi oui, concéda l'ours. Des dieux. J'y venais. Je suis Thor, seigneur des Tonnerres. L'aigle est le seigneur Odin, Père-de-Tout, le dieu des dieux. Et ce fouineur de renard aux oreilles d'avorton est...

– Loki, se présenta suavement le renard. Frère de sang des dieux. Le plus malin, le plus fin, le plus brillant de tous les habitants d'Asgard, à ce que l'on dit...

– Brillant ? s'insurgea l'ours.

– Tu serais tombé dans le panneau. Comme n'importe qui, rétorqua le renard.

– Mais *quel* panneau ? demanda Odd.

Un éclair de regard vert, un soupir, et le renard commença.

– Je vais te raconter. Et tu verras. Cela aurait pu arriver à n'importe qui. Donc, Asgard. Domaine des puissants. Au centre d'une plaine, cerné d'une muraille imprenable bâtie pour nous par un géant de glace. Et c'est grâce à moi, je le précise, que ce mur ne nous coûta pas le tarif astronomique demandé par le géant.

– Freya, précisa l'ours. Le géant voulait Freya. La plus belle des déesses... à l'exception bien sûr de Sif, mon petit amour à moi. Et il voulait le soleil et la lune.

– Si tu m'interromps encore une fois, dit le renard, encore *une seule fois*, non seulement je cesserai de parler, mais je partirai de mon côté en vous laissant vous débrouiller tout seuls, tous les deux.

– Oui, mais... protesta l'ours.

– Pas *un mot*.

L'ours se tut.

– Dans la grande salle de banquet d'Odin, reprit le renard, tous les dieux s'étaient rassemblés pour boire de l'hydromel, manger et raconter des histoires. Ils burent et fanfaronnèrent et se battirent et burent encore, toute la nuit jusqu'au petit matin. Les femmes étaient parties se coucher depuis longtemps, et à l'heure qu'il était les feux étaient bas dans les cheminées, et la plupart des dieux étaient endormis sur leur siège, la tête posée à même les tables en bois. Même le grand Odin ronflait sur son trône, son œil unique fermé par la torpeur. Et pourtant il y en avait un, parmi les dieux, qui avait bu et mangé plus que quiconque et n'avait toujours pas sommeil. C'était moi, Loki, aussi appelé l'Arpenteur du ciel, et je n'étais ni fatigué ni encore ivre, pas le moins du monde…

L'ours émit un bruit, un petit ronchonnement incrédule. Le renard lui décocha un regard tranchant.

– J'ai dit *un mot*…

– Ce n'était pas un mot, se défendit l'ours.

J'ai simplement fait un bruit. Donc. Tu n'étais pas ivre.

– Absolument. Je n'étais pas ivre. Or, sobre comme tout, je sortis tranquillement de la salle et montai, avec mes chaussures qui marchent en l'air, jusqu'au sommet de la muraille qui entoure Asgard, et je regardai au-delà du mur. Dans le clair de lune, debout près de la muraille, les yeux levés vers moi, je vis la femme la plus belle qu'on eût jamais aperçue. Sa chair était crémeuse, ses cheveux dorés, ses lèvres, ses épaules... la perfection. Et d'une voix qui était comme le pincement d'une corde de harpe, elle me héla.

» – Salut à toi, vaillant guerrier, me dit-elle.

» – Salut à toi, répondis-je. Salut à la plus belle des créatures. (Sur quoi elle éclata d'un rire gracieux, et ses yeux pétillèrent, et je sus que je lui plaisais.) Et que fait une damoiselle d'une si grande beauté à errer seule dans la nuit, alors que des loups et des trolls et pire encore rôdent en liberté ? Permets-moi de t'offrir l'hospitalité – l'hospitalité de Loki, le plus puissant et le plus sage de tous les seigneurs d'Asgard. Je déclare que je te mènerai en mon logis et prendrai soin de toi de toutes les manières possibles !

» – Je ne puis accepter ta proposition, ô brave et bien joli garçon, me répondit-elle, les yeux brillants comme deux saphirs au clair de lune. Car bien que tu sois, à l'évidence, grand et fort et des plus séduisants, j'ai promis à mon père – un roi qui vit bien loin d'ici – de ne donner mon cœur ou mes lèvres à quiconque ne posséderait certain objet.

» – Et quel est cet objet ? demandai-je, bien décidé à lui apporter tout ce qu'elle pourrait nommer.

» – Mjollnir, dit la demoiselle. Le marteau de Thor.

» – Ha !

» Ne prenant que le temps de lui dire de ne pas bouger, je fis voler mes pieds et, tel le vent, me ruai dans la grande salle. Tout le monde était endormi, ou tellement gris que cela ne faisait aucune différence. Thor était là, plongé dans une stupeur alcoolisée, le visage posé sur le tranchoir en bois couvert de sauce et, suspendu à sa hanche, était son marteau. Seuls les doigts agiles de Loki, le plus malin et le plus rusé, pouvaient le détacher de la ceinture sans éveiller Thor…

À ces mots, l'ours émit un son grave du fond de la gorge. L'ayant fusillé du regard un instant, le renard poursuivit.

– Il était lourd, ce marteau. Plus lourd qu'on ne peut en rêver. Il pesait autant qu'une petite

49

montagne. Trop lourd pour être porté, si l'on n'était pas Thor. Et pourtant, ce n'était rien de trop pour mon génie. Je retirai mes chaussures qui, comme je le disais, peuvent marcher en l'air, et je les nouai, une au manche, l'autre à la tête. Puis je claquai des doigts et le marteau me suivit.

» Cette fois je me hâtai de rejoindre les portes d'Asgard. J'en retirai les barres et les franchis – suivi, point n'est besoin de le dire, par le marteau.

» La demoiselle était là. Assise sur un rocher, elle pleurait.

» – Pourquoi ces larmes, ô Beauté incarnée ? lui demandai-je.

» À ces mots, elle leva vers moi son visage mouillé de larmes.

» – Je pleure car dès que je t'ai vu, grand et puissant seigneur, j'ai su que jamais je ne pourrais en aimer un autre. Pourtant je suis condamnée à n'accorder mon cœur et mes attentions qu'à celui qui me laissera toucher le marteau de Thor.

» Je tendis la main pour toucher sa joue froide et mouillée.

» – Sèche tes larmes, lui dis-je. Et vois... le marteau de Thor !

» Elle cessa alors ses pleurs et avança ses mains délicates, qui empoignèrent fermement le marteau. J'avais prévu de me divertir avec la demoiselle et de rapporter le marteau dans la salle avant que Thor ne s'éveillât. Mais il ne fallait pas trop tarder.

» – Alors, dis-je. Ce baiser.

» L'espace d'un instant je crus qu'elle s'était remise à pleurer, puis je sus qu'elle riait. Mais ce que j'entendais n'était pas un doux rire carillonnant de jeune fille. C'était un grand craquement, comme un glacier frottant contre le flanc d'une montagne.

» La jeune fille détacha mes chaussures du marteau et les laissa tomber au sol. Elle tint le marteau comme si c'était une plume. Une vague de froid m'engloutit, et je me retrouvai à la regarder d'en bas, et pour ne rien arranger ce n'était même plus une fille.

» C'était un homme. Enfin non, pas un *homme*. C'était mâle, ça oui. Mais grand comme une haute colline, avec des glaçons pendus à sa barbe. Et elle – ou plutôt il – me dit :

» – Après si longtemps, il aura suffi d'un soudard ivre et lubrique, et Asgard est à nous.

» Puis le géant de glace me toisa de haut et fit un geste avec le marteau de Thor.

» – Et toi, me dit-il d'une voix grave et excessivement satisfaite, *toi*, il faut que tu sois autre chose.

» Je sentis mon dos se soulever. Je sentis une queue se frayer un chemin en bas de mon échine. Mes doigts se recroquevillèrent en pattes et en griffes. Ce n'était pas la première fois que j'étais changé en animal – j'ai été un cheval un jour, vois-tu –, mais c'était la première fois qu'on me l'imposait de l'extérieur, et ce n'était pas plaisant. Pas plaisant du tout.

– Ç'a été pire pour nous, dit l'ours. Tu dors profondément, à rêver d'orages, et tout d'un coup tu te retrouves à l'étroit dans un corps d'ours. Quant au Père-de-Tout, le géant de glace l'a transformé en aigle.

Ce dernier poussa un cri perçant qui fit sursauter Odd.

– Rage ! s'exclama-t-il.

– Le géant nous rit au nez, sans cesser de brandir le marteau, puis il força Heimdall à faire apparaître le pont Arc-en-ciel et nous exila tous les trois ici, à Midgard. Il n'y a rien à ajouter.

Le silence se fit dans la petite hutte. Rien que les craquements et les sifflements d'une branche de pin dans le feu.

— Bon, conclut Odd. Dieux ou non, je ne vais pas pouvoir continuer à vous nourrir si cet hiver s'éternise. Je ne crois même pas pouvoir me nourrir moi-même.

— Nous ne mourrons pas, dit l'ours, car nous ne pouvons pas mourir ici. Mais nous aurons faim. Et nous deviendrons plus sauvages. Plus animaux. C'est une chose qui arrive lorsqu'on a pris forme animale. À y rester trop longtemps, on devient ce que l'on prétend être. Quand Loki était un cheval...

— On ne parle pas de ça, trancha le renard.

— Alors, est-ce pour cela que l'hiver ne s'en va pas ? demanda Odd.

– Les géants de glace aiment l'hiver, dit l'ours. Ils *sont* l'hiver.

– Et si le printemps ne revient jamais ? Si l'été n'a pas lieu ? Si l'hiver se poursuit à jamais ?

L'ours ne répondit rien. Le renard fouetta l'air de sa queue avec impatience. Ils regardèrent l'aigle. Celui-ci renversa la tête en arrière et fixa Odd d'un œil jaune et farouche. Puis il dit :

– Mort !

– Au bout d'un moment, précisa le renard. Pas tout de suite. Dans un an, plus ou moins. Et certaines créatures partiront vers le sud. Mais la plupart des gens et des animaux mourront. C'est déjà arrivé, à l'époque où nous étions en guerre contre les géants de glace, à l'aube des temps. Lorsqu'ils gagnaient, d'immenses tapis de glace recouvraient cette partie du monde. Lorsque nous étions vainqueurs – et même si

cela nous prenait cent mille ans, nous vain-
quions toujours –, les glaces se retiraient et le
printemps revenait. Mais nous étions des dieux
à l'époque, pas des animaux.

– Et j'avais mon marteau, ajouta l'ours.

– Bien, dit Odd. Alors nous nous mettrons en
route dès qu'il fera assez clair pour voyager.

– En route ? demanda le renard. Pour où ?

– Asgard, bien sûr, répondit Odd avec son
exaspérant sourire.

Sur ces mots, il se recoucha dans son petit lit
et se rendormit.

CHAPITRE 4

POUR FABRIQUER UN ARC-EN-CIEL

— QU'EST-CE QUE TU AS LÀ? s'enquit le renard.

— C'est un bout de bois, dit Odd. Mon père a commencé à le sculpter il y a des années. Il l'a laissé ici, mais n'est jamais revenu le terminer.

— Et qu'est-ce que ça devait représenter?

— Je ne sais pas, avoua Odd. Mon père disait

toujours que la sculpture était déjà dans le bois. Qu'il suffisait de trouver ce que le bois voulait être, et de prendre son couteau pour retirer tout ce qui ne l'était pas.

– Mmm.

Le renard n'avait pas l'air convaincu.

Odd était à califourchon sur le dos de l'ours. Le renard trottinait à leurs côtés. Très haut au-dessus d'eux, l'aigle filait dans le vent. Le soleil brillait dans un ciel bleu sans nuages, et il faisait encore plus froid que par temps couvert. Ils se dirigeaient vers des terres plus élevées, le long d'une arête rocheuse, en suivant une rivière gelée. Le vent cinglait le visage et les oreilles du garçon.

– Ça ne marchera pas, prédit l'ours d'un air sombre. De toute manière, quoi que nous fassions, ça ne marchera pas.

Odd ne répondit rien.

Très haut au-dessus d'eux, l'aigle filait dans le vent.

– Tu souris, hein ? ajouta l'ours. Je le sens.

Le problème était le suivant : pour se rendre à Asgard, la contrée d'où venaient les dieux, il fallait franchir le pont Arc-en-ciel, qui s'appelait Bifrost. Quand on était un dieu, il suffisait d'agiter les doigts pour faire apparaître un arc-en-ciel. On le traversait ensuite à pied.

«Facile», avait dit le renard, et l'ours avait acquiescé d'un air morose. Du moins, ça l'était jusqu'au jour où l'on n'avait plus de doigts. Comme eux. Mais ainsi que l'avait fait remarquer Loki, même sans doigts, en principe on n'en pouvait pas moins trouver un arc-en-ciel et l'emprunter. Les arcs-en-ciel apparaissaient après les ondées, non ?

Si, sauf en plein hiver.

Odd réfléchissait. Il réfléchissait à la manière qu'avaient les arcs-en-ciel d'apparaître les jours de pluie, au retour du soleil.

– Il me semble, dit l'ours, qu'en adulte responsable je me dois d'attirer l'attention sur quelques points.

– La parole est d'argent, répondit Odd, mais le silence est d'or.

C'était une phrase que prononçait parfois son père.

– Je crois bon de faire remarquer que nous perdons notre temps, c'est tout. Nous n'avons aucun moyen d'atteindre le pont Arc-en-ciel. Et si par miracle nous le traversions quand même, regarde-nous : nous sommes des animaux, et toi tu peux à peine marcher. Nous ne pouvons pas vaincre les géants de glace. Il n'y a aucun espoir.

– Il a raison, confirma le renard.

– Si c'est sans espoir, pourquoi venez-vous avec moi ?

Les animaux ne répondirent pas. Le radieux

soleil matinal qui s'élevait de la neige éblouis-
sait Odd, le forçait à plisser les paupières.

– Rien de mieux à faire, lâcha l'ours au bout
d'un moment.

– Là-haut! s'écria Odd.

Il se cramponna à la fourrure de l'ours pour
attaquer l'ascension d'une colline escarpée. On
voyait les montagnes au-delà.

– Arrête-toi, dit Odd.

La cascade était un de ses lieux préférés au
monde. Du printemps au milieu de l'hiver, elle
courait, vive et rapide, avant d'aller s'écraser
presque trente mètres plus bas dans la vallée,
où elle avait creusé un bassin dans la roche. Au
cœur de l'été, quand le soleil ne se couchait
presque plus, les villageois venaient barboter
dans le bassin ou se faire doucher par la chute
d'eau.

En ce moment, la cascade était gelée et la

glace reliait les roches escarpées au bassin en longues torsades et en grands stalactites transparents.

– C'est une cascade, dit Odd. On venait ici, avant. Et quand l'eau coulait et que le soleil brillait fort, on voyait un arc-en-ciel qui faisait un grand cercle, tout autour de la chute d'eau.

– Il n'y a pas d'eau, fit remarquer le renard. Pas d'eau, pas d'arc-en-ciel.

– Si, il y en a, le corrigea Odd. Simplement, elle est gelée.

Il tira sa hache de sa ceinture, cala sa béquille sous son bras pour descendre du dos de l'ours et marcha sur la glace jusque devant la cascade figée. Il se servit de la béquille pour s'équilibrer le mieux possible. Puis il leva sa hache. Le son de la lame frappant l'épais glaçon se répercuta dans les collines autour d'eux, et résonna en écho comme si toute une armée d'hommes tambourinait sur la glace...

Il y eut un craquement sonore, et un glaçon aussi grand que lui alla s'écraser à la surface du bassin gelé.

– C'est malin, dit l'ours. Tu l'as cassé.

– Oui, reconnut Odd.

Il inspecta les blocs de glace éparpillés au sol, ramassa le plus gros, celui qui s'était brisé le plus nettement, puis l'emporta sur la berge du bassin gelé. Il le posa sur un rocher et le contempla fixement.

– C'est un bloc de glace, observa le renard. Si tu veux mon avis.

– Oui. Je pense que les arcs-en-ciel restent emprisonnés dedans quand l'eau gèle.

Odd sortit son couteau et se mit à tracer des contours sur le glaçon. Il faisait aller et venir la lame en entaillant de son mieux la surface.

L'aigle décrivait des cercles très haut au-dessus d'eux, presque invisible dans le soleil hivernal.

– Ça fait longtemps qu'il est là-haut, remarqua l'ours. Vous croyez qu'il cherche quelque chose ?

– Il m'inquiète, ajouta le renard. Ça doit être dur d'être un aigle. Il pourrait se perdre là-dedans. Quand j'étais un cheval...

– Une jument, tu veux dire ! le coupa l'ours avec un petit grognement.

Le renard secoua vivement la tête et s'éloigna. Odd posa son couteau et sortit de nouveau sa hache.

– J'ai parfois vu des arcs-en-ciel sur la neige, expliqua-t-il suffisamment fort pour que le renard puisse l'entendre, et aussi sur les murs des maisons, quand le soleil traversait les stalactites. Et je me dis que la glace, ce n'est que

de l'eau ; donc il doit aussi y avoir des arcs-en-
ciel dedans. Quand l'eau gèle, ils restent pri-
sonniers à l'intérieur, comme les poissons dans
les mares. Et le soleil les libère.

Odd s'agenouilla sur l'étang gelé. Il donna un
coup de hache dans le gros glaçon. En vain :
pour seul résultat, la lame ricocha sur la glace
et faillit lui entailler la jambe.

– Si tu continues, tu vas casser ta hache, lui
fit observer le renard. Attends.

Il suivit la berge du bassin, le nez au sol, pendant plusieurs minutes. Puis il se mit à creuser
la neige.

– Voilà, dit-il. C'est ça qu'il te faut.

Il posa la patte sur une roche grise qu'il avait
mise au jour.

Odd tira sur la pierre, qui se libéra facilement du sol et se révéla être un silex. Une partie était grise, mais l'autre, la partie translucide,

était d'un rose saumon intense et semblait avoir été taillée.

— Ne touche pas le tranchant, lui enjoignit le renard. Ça coupe. Vraiment. Ils ne plaisantaient pas quand ils fabriquaient ça, et quand c'est bien fait, ça ne s'émousse pas facilement.

— Qu'est-ce que c'est ?

— Un biface. On faisait des sacrifices, ici, sur ce gros rocher là-bas, et ces outils servaient à découper les animaux et à les dépecer.

— Comment le sais-tu ?

Il y avait de la satisfaction et de l'orgueil dans la voix du renard lorsqu'il répondit :

— À ton avis, c'était pour qui, ces sacrifices ?

Odd rapporta l'outil jusqu'au bloc de glace. Il passa les mains sur la surface, glissante comme un poisson, et s'y attaqua à l'aide du silex.

La pierre était comme tiède dans ses mains. Chaude, même.

— C'est chaud, dit-il.

— Ah oui? lança le renard, l'air très content de lui.

La glace se détachait exactement comme le voulait Odd sous les coups du biface. Il lui donna une forme presque triangulaire, plus épaisse d'un côté que de l'autre.

Le renard et l'ours se tenaient à courte distance pour l'observer. L'aigle descendit voir ce qui se passait, se posa sur les branches nues d'un arbre et garda une immobilité de statue.

Odd prit son triangle de glace et le posa de telle manière que les rayons du soleil le traversent pour aller frapper la neige blanche poussée par le vent sur le bassin gelé. Il ne se passa rien. Il le tourna, l'inclina, le déplaça, et…

Une flaque de lumière apparut sur la neige, aux couleurs de l'arc-en-ciel...

– Alors ? demanda Odd. Pas mal, non ?

– Mais il est par terre, dit l'ours, dubitatif. Il faudrait qu'il tienne en l'air. Enfin quoi, comment veux-tu faire un pont avec *ça* ?

L'aigle s'envola de l'arbre dans un claquement d'ailes et commença à s'élever.

– Il n'a pas l'air très convaincu, constata le renard. Mais c'était bien essayé.

Odd haussa les épaules. Il sentait ses lèvres s'étirer pour sourire, même s'il avait le cœur serré. Cela l'avait rendu si fier de fabriquer un arc-en-ciel ! Il avait les doigts gourds. Il soupesa la hache de pierre dans sa main et faillit la jeter, fort, loin de lui, mais se contenta finalement de la laisser tomber à ses pieds.

Un cri strident. Odd, levant la tête, vit l'aigle leur foncer dessus en piqué. Il commença à reculer, en s'émerveillant de la vitesse de l'oiseau, en se demandant comment il arriverait à redresser à temps…

Il ne redressa pas.

L'aigle s'abattit sans ralentir sur la tache de lumière qui colorait la neige blanche, comme s'il plongeait dans une étendue d'eau liquide.

La flaque de couleur jeta des éclaboussures… et *s'ouvrit.*

De l'écarlate retomba doucement autour d'eux, et tout fut souligné de vert et de bleu, et le monde fut couleur framboise, et couleur de feuille, et couleur d'or, et couleur de feu, et couleur de myrtille et couleur de vin. Le monde n'était plus que couleurs et malgré sa béquille, Odd se sentit tomber en avant, précipité dans l'arc-en-ciel…

Tout devint noir. Les yeux du garçon mirent un instant à s'y accoutumer, et quand ils le firent, le velours d'un ciel nocturne s'étendait au-dessus de lui, piqué d'un milliard d'étoiles. Un arc-en-ciel le traversait, et Odd marchait sur l'arc-en-ciel... non, il ne marchait pas : ses pieds ne bougeaient pas. C'était comme s'il était porté sur l'arche, vers le haut, vers l'avant, sans pouvoir imaginer à quelle vitesse il se déplaçait, certain seulement qu'il était, sans savoir comment, entraîné dans les couleurs, et que c'étaient les couleurs de l'arc-en-ciel qui le transportaient.

Il regarda derrière lui, désireux d'entrevoir le monde neigeux qu'il avait quitté, mais il ne vit que du noir, entièrement vide, même d'étoiles.

Son ventre fit une sorte d'embardée. Il se sentit tomber et, en se retournant, constata que l'arc-en-ciel pâlissait. À travers le prisme coloré il vit des sapins immenses, brumeux et violets et bleus et rouges, puis les arbres se précisèrent et trouvèrent leur couleur propre – un vert bleuté froid – tandis que le garçon dégringolait le long d'un sapin et allait s'écraser dans un tas de neige. La senteur des branches cassées flottait tout autour de lui.

Il faisait jour. Odd était mouillé, il avait froid, mais il n'avait pas mal.

Il regarda brièvement vers le haut, mais il n'y avait plus trace du pont Arc-en-ciel. En silence, dans la neige épaisse, le renard et l'ours marchaient vers lui. Et là, dans un bruissement suivi d'un grand fracas, l'aigle vint se poser sur une branche toute proche, en faisant tomber la neige de l'arbre, *floup*. L'oiseau avait l'air moins fou, se dit Odd. Et ensuite : *Il a l'air plus grand.*

– Où sommes-nous, ici ? demanda-t-il.

Mais il connaissait la réponse, il la connaissait avant même que l'aigle eût renversé la tête en arrière et crié, avec bonheur, avec délectation, avec une joie sombre et ardente :

– Asgard !

Chapitre 5

AU PUITS DE MIMIR

SINCÈREMENT, FRANCHEMENT, de tout son cœur, Odd aurait voulu se croire encore dans le monde qu'il avait toujours connu. Croire qu'il était toujours au pays des Normands, qu'il était à Midgard. Sauf que ce n'était pas vrai, et qu'il le savait. L'odeur de ce monde était différente, pour commencer. C'était une odeur *vivante*. Tout ce qu'il regardait paraissait plus net, plus réel, plus *présent*.

Et si jamais il en doutait, il n'avait qu'à regarder les animaux.

– Vous êtes plus gros, leur dit-il. Vous avez grandi.

Et c'était la vérité. Les oreilles du renard lui arrivaient désormais à la poitrine. L'envergure de l'aigle, lorsqu'il se lissait les plumes au soleil, égalait la largeur d'un drakkar. L'ours, qui n'était déjà pas petit au départ, était devenu gros comme la hutte de son père, énorme en volume, et tellement ours !

– Nous n'avons pas grandi, le corrigea le renard, dont la fourrure orange vif était comme un incendie. Nous sommes d'une taille normale. C'est notre taille, ici.

Odd opina du chef.

– Si je comprends bien, dit-il ensuite, tout cet

endroit s'appelle Asgard, et la ville où nous devons aller s'appelle aussi Asgard, c'est bien ça ?

– Nous leur avons donné notre nom, expliqua l'ours. Le nom des Aesir.

– C'est loin, chez vous ?

Le renard huma l'air, puis observa les environs. Il y avait des montagnes derrière eux, et une forêt tout autour.

– À une journée de voyage. Peut-être un peu plus. Une fois cette forêt traversée, nous atteindrons la plaine, et la ville est au milieu de la plaine.

Odd, une fois encore, hocha la tête.

– Je suppose qu'on ferait bien de ne pas tarder, alors.

– Rien ne presse, gronda l'ours. Asgard ne va pas disparaître. Et pour l'instant, j'ai faim. Je vais à la pêche. Pourquoi ne pas faire un feu, vous deux ?

Et sans attendre de voir la suite, la grande bête s'enfonça d'un pas tranquille dans la pénombre de la forêt. L'aigle battit des ailes, aussi bruyant qu'un petit claquement de tonnerre, et s'envola. Il tourna en rond de plus en plus haut avant de suivre l'ours.

Odd et le renard ramassèrent du bois, ils trouvèrent des brindilles sèches et des branches mortes dont Odd fit un grand tas. Il sortit son couteau et tailla en pointe un bâton bien dur, appliqua la pointe contre un morceau de bois sec et tendre, et s'apprêta à faire tourner le bâton entre ses mains pour que le feu jaillît de la friction.

Le renard le regardait faire sans conviction.

— Pourquoi t'embêter ? demanda-t-il. C'est plus facile comme ça.

Il colla sa truffe contre le tas de bois et souffla sur les brindilles. L'air au-dessus vacilla et tremblota, puis, avec de petits craquements, les branchettes s'enflammèrent.

– Comment as-tu fait ?

– On est à Asgard, dit le renard. C'est moins… consistant… que l'endroit d'où tu viens. Les dieux… même transformés… enfin, il y a de la puissance par ici… tu comprends ?

– Pas vraiment. Mais c'est pas grave.

Odd s'assit à côté du feu pour attendre le retour de l'aigle et de l'ours. Il sortit le morceau de bois que son père avait commencé à sculpter. Il l'examina en s'interrogeant sur sa forme, familière et pourtant étrangère, en se demandant ce qu'elle avait voulu devenir et pourquoi cela le préoccupait tant. Il passait le pouce dessus, et cela le réconfortait.

Le crépuscule était là lorsque l'ours rapporta la truite la plus grosse qu'Odd eût jamais vue.

Le garçon la vida avec son couteau (le renard dévora les entrailles crues avec enthousiasme), puis il l'enfila sur un long bâton, coupa deux branches fourchues pour bricoler une broche, et fit griller le poisson au-dessus du feu, en le retournant de temps en temps pour éviter qu'il ne brûle.

Quand ce fut cuit, l'aigle prit la tête et les trois autres se partagèrent la chair, l'ours s'arrogeant une plus grosse part que ses deux compagnons réunis.

Le crépuscule se mua insensiblement en nuit, et une énorme lune jaune foncé commença à monter sur l'horizon, avec une lenteur presque douloureuse à voir.

Lorsqu'ils eurent fini de manger, le renard s'endormit près du feu et l'aigle battit lourdement des ailes jusqu'à un pin mort pour y passer la nuit. Odd prit les restes de poisson et les enfouit dans un tas de neige pour les garder au frais, comme le lui avait appris sa mère.

L'ours considéra Odd. Puis il dit d'un ton détaché :

– Tu dois avoir soif. Viens. Allons chercher de l'eau.

Odd grimpa sur son large dos et se cramponna tandis que l'animal pénétrait d'un pas traînant dans l'obscurité des bois.

Ils n'avaient pas l'air de chercher quoi que ce fût, cependant. On aurait plutôt dit que l'ours savait précisément où il allait, qu'il avait une direction en tête. Ils franchirent une crête et redescendirent dans une petite gorge ; traversèrent un bosquet, immobile et comme ensorcelé ; enfin, ils s'enfoncèrent dans des ajoncs piquants et se trouvèrent dans une petite clairière, au centre de laquelle s'ouvrait une mare d'eau liquide.

– Attention, dit l'ours à voix basse. C'est très profond.

Odd regarda de tous ses yeux. Le clair de lune jaune était trompeur, et pourtant…

– Il y a des formes qui bougent dans l'eau, dit-il.

– Rien là-dedans qui puisse te faire du mal. Ce ne sont que des reflets, en réalité. Tu peux boire sans danger. Je t'en donne ma parole.

Odd détacha son bol en bois de sa ceinture. Il le plongea dans l'eau et but. L'eau était désaltérante et étrangement sucrée. Il ne s'était pas rendu compte qu'il avait si soif : il emplit et vida son bol à quatre reprises.

Puis il bâilla.

– J'ai très sommeil.

– C'est à cause du voyage, dit l'ours. Tiens. Attends un peu.

À l'aide de ses dents, il traîna jusqu'à l'orée de la clairière plusieurs branches tombées des sapins.

– Roule-toi en boule là-dessus.

– Mais les autres…

– Je leur dirai que tu t'es endormi dans les bois, dit l'ours. Mais ne pars pas vagabonder n'importe où. Pour l'instant, repose-toi.

Et l'ours posa les branches et les écrasa sous son poids. Le garçon s'étendit à côté de l'animal, en inhalant sa forte odeur d'ours, en se pressant contre la fourrure pour ressentir sa douceur et sa chaleur.

Le monde était confortable, calme et chaud. Odd était en sécurité, et tout était enclos dans le noir…

Lorsqu'il rouvrit les yeux, il avait froid, il était seul, la lune était immense et blanche et haute dans le ciel. *Au moins deux fois plus grosse que celle de Midgard*, pensa le garçon, et il se demanda si c'était parce qu'Asgard était plus proche de la lune, ou si la contrée avait sa lune à elle...

L'ours était parti.

Grâce à la clarté de la lune, Odd voyait des formes remuer dans l'eau de la mare; il se leva pour aller en clopinant y regarder de plus près.

Au bord de l'eau il s'accroupit, mit sa main en coupe, puisa et but. L'eau était glacée, mais en la buvant il se sentit réchauffé, rasséréné, protégé.

Les silhouettes, dans l'eau, se dissolvaient et se reformaient.

– Qu'as-tu besoin de voir? fit une voix derrière Odd.

Il ne répondit rien.

– Tu as bu à ma source, reprit la voix.

– J'ai fait quelque chose de mal ? demanda Odd.

Il y eut un silence. Puis la voix dit :

– Non.

Elle semblait très vieille, si ancienne que le garçon n'aurait su dire si elle émanait d'un homme ou d'une femme. Alors la voix dit encore :

– Regarde.

À la surface de l'eau il vit des reflets. Son père, en hiver, jouant avec lui et avec sa mère : un jeu idiot de colin-maillard qui les faisait rire à perdre haleine, couchés sans force sur le sol…

Il vit une créature gigantesque, avec des glaçons dans la barbe et les cheveux semblables aux dessins que trace le givre sur les feuilles et sur la glace au petit matin, assise au pied d'une muraille immense, et qui scrutait l'horizon sans relâche.

Il vit sa mère assise dans un coin de la grande salle, reprisant le gilet usé du gros Elfred ; ses yeux étaient rougis par les larmes.

Il vit les plaines froides où vivent les géants de glace, vit les géants de glace traîner des roches, et faire festin d'élans à grande ramure, et danser sous la lune.

Il vit son père, assis dans la cabane de bûche-ron qu'il avait lui-même quittée si récemment. Son père avait un couteau dans une main, un morceau de bois dans l'autre. Il se mit à sculpter avec un étrange sourire lointain. Odd connais-sait ce sourire…

Il vit son père jeune homme, sautant du drak-kar dans la mer pour gravir une plage escarpée. Odd sut que c'était en Écosse, que bientôt son père rencontrerait sa mère…

Il regarda encore.

La lune était si lumineuse, ici… Odd voyait

Il vit sa mère assise dans un coin de la grande salle,
reprisant le gilet usé du gros Elfred ;
ses yeux étaient rougis par les larmes.

tout ce qu'il avait besoin de voir. Au bout d'un moment, il sortit le morceau de bois trouvé dans la hutte de son père ainsi que son couteau, et il se mit à tailler, à coups de lame réguliers et sûrs, retirant tout ce qui n'appartenait pas à la sculpture.

Il sculpta jusqu'au point du jour, jusqu'au moment où l'ours, écrasant les taillis sur son passage, pénétra dans la clairière.

Il ne demanda pas à Odd ce qu'il avait vu dans la mare, et Odd n'en parla pas de lui-même.

Le garçon grimpa sur le dos de l'ours.

– Tu redeviens plus petit, observa-t-il.

Ce n'était plus l'ours énorme de la veille au soir. Là, il ne semblait pas beaucoup plus gros que lorsqu'il avait pris Odd pour la première fois sur son dos.

– Tu as rétréci, insista Odd.

— Si tu le dis.

— D'où viennent les géants de glace ? demanda Odd pendant qu'ils traversaient les bois à grandes foulées.

— Jotunheim. Ça veut dire « le domaine des géants ». C'est de l'autre côté du grand fleuve. La plupart du temps, ils restent de leur côté. Mais ils ont déjà traversé. Une fois, l'un d'entre eux a voulu le soleil, la lune et Dame Freya. La fois d'avant, ils voulaient mon marteau, Mjollnir, et la main de Dame Freya. Il y a eu une fois où ils voulaient tous les trésors d'Asgard et Dame Freya.

— Elle doit beaucoup leur plaire, cette Dame Freya.

— Oui. Elle est très jolie.

— C'est comment, Jotunheim ?

— Morne. Pas un arbre. Froid. Désolé. Pas du tout comme ici. Demande à Loki.

– Pourquoi ?

– Il n'a pas toujours été un Aesir. Il est né géant de glace. C'était le plus petit de tous les géants de glace. Tout le monde se moquait de lui. Alors il est parti. Il a sauvé la vie d'Odin, au cours de ses voyages. Et il... (L'ours hésita, sembla se raviser sur ce qu'il avait failli dire, puis termina sa phrase.)... on ne s'ennuie jamais avec lui.

Puis il ajouta :

– Quoi que tu aies fait hier soir, quoi que tu aies vu...

– Oui ?

– Le sage sait tenir sa langue. Seul l'idiot dit tout ce qu'il sait.

Le renard et l'aigle les attendaient à côté des vestiges du feu. Odd termina le reste de poisson.

– Alors ? demanda l'ours ensuite. On fait quoi, maintenant ?

– Emmenez-moi à l'orée de la forêt, dit Odd. Vous m'attendrez. J'irai seul de là aux portes d'Asgard.

– Pourquoi ? s'enquit le renard.

– Parce que je ne veux pas que les géants de glace sachent que vous êtes de retour, vous trois. Pas encore.

Ils se mirent en chemin.

– Je pourrais vraiment m'habituer à voyager à dos d'ours, dit Odd.

Mais l'ours se contenta de grogner.

CHAPITRE 6

LES PORTES D'ASGARD

À LA LISIÈRE DE LA FORÊT, l'ours s'arrêta et Odd descendit de son dos. Il cala sa béquille sous son aisselle et la serra fort de sa main droite.

— Bon, dit-il. Souhaitez-moi bonne chance. Les bénédictions des dieux doivent bien compter pour quelque chose.

— Et si tu ne reviens pas? s'inquiéta le renard.

– Dans ce cas vous ne serez pas plus mal en point qu'avant de m'avoir rencontré, répondit Odd gaiement. Et puis, pourquoi est-ce que je ne reviendrais pas ?

– Ils risquent de te manger, lui révéla l'ours.

Odd cligna des yeux.

– Ah bon… Ils mangent les gens, ces géants de glace ?

Il y eut un silence. Le renard dit « À l'occasion » en même temps que l'ours disait « Presque jamais ».

Le renard toussota.

– À ta place, je ne m'en ferais pas. Tu n'as presque rien sur les os. Tu ne vaux pas la peine d'être mangé.

Il fit un grand sourire. Cela n'aida pas Odd à se sentir mieux. Il souleva sa béquille et se mit en marche, lentement, laborieusement, vers l'immense muraille qui ceignait la Cité des dieux.

Le vent avait balayé la neige du chemin, et bien que le sol fût glissant par endroits, il trouva le trajet moins difficile que ce à quoi il s'attendait.

Les jours étaient plus longs ici, à Asgard. Le soleil était une pièce d'argent suspendue dans le ciel blanc. Odd se força à avancer sans relâche, un pas après l'autre, en repensant à l'époque où il marchait aisément et ne se souciait jamais du miracle qui consiste à poser un pied devant l'autre et à tirer le monde vers soi.

Au début, Odd crut que la muraille d'Asgard était haute comme un individu de grande taille, et qu'une pâle statue d'homme assis était posée sur un rocher à côté – du moins il se figura que c'était une statue. Puis il se rapprocha lentement, et il se rapprocha encore, et la muraille grandit, et la pâle statue grandit également, jusqu'au moment où, plus proche encore, le garçon dut renverser la tête en arrière pour les regarder.

À chaque pas qu'il faisait vers les portes, vers l'immense silhouette pâle sur le rocher, il sentait la température baisser.

Alors la statue bougea, et Odd sut.

– QUI ES-TU ?

La voix roula sur la plaine comme une avalanche.

– Je m'appelle Odd, cria Odd, et il sourit.

Le géant de glace le toisa. Il y avait des glaçons dans ses sourcils, et ses yeux avaient la couleur de la glace des lacs juste avant qu'elle ne cède et ne vous précipite au fond de l'eau glacée.

– QU'ES-TU ? UN DIEU ? UN TROLL ? UN

CADAVRE AMBULANT D'UNE ESPÈCE OU D'UNE AUTRE ?

– Je suis un garçon, cria Odd, et il sourit encore.

– ET AU NOM D'YMIR, QUE FAIS-TU ICI ?

C'est une sensation étrange, de parler à un être capable de vous broyer comme un homme peut broyer un souriceau. *Et encore*, pensa Odd, *les souris au moins peuvent courir.*

– Je suis ici pour chasser d'Asgard les géants de glace, lui expliqua Odd.

Puis il sourit au géant, d'un grand sourire joyeux, exaspérant.

Ce fut ce sourire qui le sauva. Si Odd n'avait pas souri, le géant l'aurait simplement ramassé et écrabouillé, ou l'aurait éclaté contre le rocher, ou lui aurait arraché la tête d'un coup de dents et aurait gardé le reste comme casse-croûte pour plus tard. Mais ce sourire, un sourire qui semblait indiquer que le garçon en savait plus qu'il n'en disait...

– Pas question, dit le géant de glace. Tu ne peux pas.

– Je crois bien que si, dit Odd.

– J'ai berné Loki, affirma le géant d'un air pompeux. J'ai vaincu Thor. J'ai banni Odin. Tout Asgard est pacifié et soumis à mes ordres. En ce moment même, mes frères arrivent de Jotunheim en renfort. (Il lança un regard rapide vers l'horizon, vers le nord.) Les dieux sont mes esclaves. Je suis fiancé à la belle Freya. Et tu crois vraiment pouvoir me défier ?

Odd haussa les épaules sans cesser de sourire. C'était son sourire le plus large, le plus agaçant ; à la maison, il lui avait toujours valu des coups. Même le géant avait envie de lui faire mal, histoire d'effacer ce sourire de ses traits. Mais personne ne lui avait jamais souri de la sorte, et cela le troublait.

– Je règne sur Asgard! tonna le géant.

– Pourquoi?

– POURQUOI?

– Je vous entends bien sans que vous ayez besoin de crier, précisa Odd lorsque l'écho se fut tu.

Puis il ajouta, en parlant juste un peu moins fort, si bien que le géant dut se baisser pour l'écouter :

– Pourquoi voulez-vous régner sur Asgard? Pourquoi l'avez-vous conquis?

Le géant de glace se leva de l'énorme rocher. Puis il montra du pouce ce qu'il y avait derrière lui.

– Tu vois ce mur?

On ne pouvait pas ne pas le voir. Il emplissait le monde. Chaque pierre était plus grosse que les maisons du village d'Odd.

— C'est mon frère qui l'a construit. Il a passé un marché avec les dieux : il leur bâtirait un mur en moins de six mois, ou il ne se ferait pas payer. Et le dernier jour, alors qu'il allait l'achever... la *dernière* heure du *dernier* jour, ils l'ont entourloupé.

— Comment ?

— Une jument, la plus belle bête que personne eût jamais vue, est venue au galop, à travers la plaine, aguicher l'étalon qui tirait les pierres pour mon frère. Elle a usé de ruses féminines. L'étalon brisa ses liens, et les chevaux s'enfuirent ensemble dans les bois, où ils disparurent. Et là, alors que mon pauvre frère venait de s'armer de courage pour se plaindre de son traitement, Thor revint de voyage et le tua avec son fichu marteau. C'est ainsi que s'achèvent toutes les histoires de dieux et de géants de glace : Thor finit toujours par tuer des géants. Eh bien, pas cette fois-ci.

— On dirait bien que non, dit Odd, qui commençait à soupçonner l'identité de la jument. Alors, que voulait votre frère en paiement ?

— Trois fois rien, marmonna le géant en passant d'un pied sur l'autre. Des bricoles.

Il se rassit sur le rocher. Là où il touchait le géant de glace, l'air semblait fumer. Odd avait vu l'eau du fjord fumer en hiver, quand l'air était plus froid que l'eau. Il se demandait à quel point le géant de glace était froid.

— Il voulait le soleil, expliqua le géant, et la lune. Et Freya. Toutes choses que je contrôle à présent, car Asgard est à moi !

— Oui. Vous l'avez déjà dit.

Il y eut un silence. Odd pensa que le géant

de glace avait l'air fatigué. Puis il dit, de nouveau :

– Pourquoi ? Pourquoi voulait-il tout cela ?

Le géant de glace inspira un grand coup.

– COMMENT OSES-TU ME QUESTION-
NER ? rugit-il, et Odd sentit la terre trembler
sous ses pieds.

Il s'appuya sur sa béquille pour garder l'équi-
libre dans les bourrasques glacées qui lui passaient dessus. Il ne dit rien. Il se contenta de
sourire encore.

– Ça t'ennuierait que je te prenne dans ma
main ? lui demanda le géant. Ce serait plus
facile de parler si nous étions face à face.

– Du moment que tu fais attention, dit Odd.

Le géant se baissa pour poser la main à plat
sur le sol, paume en l'air, et Odd grimpa dessus, non sans mal. Puis le géant replia sa main
en coupe et souleva Odd jusqu'au niveau de sa

Puis le géant replia sa main en coupe
et souleva Odd jusqu'au niveau de sa bouche.

bouche, et il chuchota, d'une voix semblable au sifflement de la bise hivernale :

– La beauté.

– La beauté ?

– Les trois plus belles choses qui soient. Le soleil, la lune, et Freya la belle. Ce n'est pas très beau, Jotunheim. Il n'y a que des cailloux, des rochers et... bon, ils peuvent être jolis quand même, vus sous le bon angle. Et on voit le soleil de là-bas, et la lune. Pas de Freya, en revanche... rien d'aussi beau. Elle est belle. Mais elle a la langue bien pendue.

– Donc vous êtes venu ici pour la beauté ?

– Pour la beauté, et pour venger mon frère. J'avais dit aux autres géants de glace que je le ferais, et ils m'avaient tous ri au nez. Mais ils ne rient plus, maintenant, pas vrai ?

– Et le printemps, alors ?

– Le printemps ?

– Le printemps. À Midgard. Là d'où je viens.
Il n'arrive pas cette année. Et si l'hiver conti-
nue, tout le monde mourra. Les gens. Les animaux. Les plantes.

Deux yeux bleus glacés, plus grands que des
fenêtres, contemplaient fixement Odd.

– Qu'est-ce que ça peut me faire ?

Le géant de glace reposa Odd au sommet
de la muraille qui ceignait Asgard, la muraille
bâtie par son frère. Il y avait du vent là-haut, et
Odd s'appuya sur sa béquille, craignant d'être
emporté, jeté au sol et tué par une bourrasque.
Il lança un coup d'œil derrière lui, et constata
sans surprise que la Cité des dieux était presque
identique à son village du fjord. En plus grand,
bien sûr, mais construite sur le même modèle :
une vaste salle de banquet, et des bâtisses plus
petites autour.

– Vous devriez vous en soucier, dit-il, parce

que vous vous souciez de la beauté. Et qu'il n'y en aura plus. Il n'y aura plus que des choses mortes.

– Les choses mortes peuvent être belles, rétorqua le géant de glace. De toute manière, j'ai gagné. Je les ai vaincus. Je les ai bernés et je les ai dupés. J'ai banni Thor et Odin et ce renégat miniature de Loki.

Là-dessus, il soupira.

Odd se rappela ce qu'il avait vu dans la mare, la nuit précédente.

– Vous croyez vraiment que vos frères sont en route ?

– Ah, dit le géant de glace. Hum. Peut-être bien. En tout cas, ils m'ont tous dit qu'ils viendraient... si je gagnais... Seulement, je crois qu'ils ne s'attendaient pas vraiment à ce que je conquière cet endroit. Et puis ils ont tous des choses à faire, des fermes, des maisons, des enfants, des épouses. Je doute qu'ils aient vraiment *envie* de venir jouer aux soldats dans ces contrées chaudes, pour surveiller une poignée de dieux mal embouchés.

— Et je suppose qu'ils ne peuvent pas *tous* se fiancer à la belle Freya.

— Une chance pour eux, observa le géant de glace d'un air sombre. Elle est belle. Ça, oui. Elle est belle. Je te l'accorde. (Il secoua la tête. Des glaçons tombèrent de sa tête et allèrent se fracasser en tintant sur les rochers en contrebas.) Elle a un attelage tiré par des chats, tu sais. J'ai essayé de les caresser. (Il leva l'index de sa main droite. Celui-ci était couvert de griffures et de coupures.) Elle a dit que c'était ma faute. Que c'était moi qui les avais excités.

» Elle est belle, c'est vrai, répéta-t-il en soupirant. Mais elle est haute comme mon pied.

Elle crie plus fort qu'une géante quand elle est en colère. Et elle est toujours en colère.

– Mais vous ne pouvez pas rentrer alors que vous avez gagné, conclut Odd.

– Exactement. Rester ici dans cet endroit chaud, désagréable, à attendre des renforts qui ne veulent pas venir, détesté par les autochtones…

– Eh bien, rentrez, proposa Odd. Dites-leur que je vous ai vaincu.

Le garçon ne souriait plus.

Le géant de glace regarda Odd, et Odd regarda le géant de glace.

– Tu es trop petit pour te battre, objecta le géant de glace. Il faudrait que tu m'aies par la ruse.

Odd acquiesça.

– Ma mère me racontait toujours des histoires de garçons qui bernaient des géants. Dans l'une d'elles, ils faisaient un concours de lancer de pierres, mais le garçon avait un oiseau, pas une pierre, et l'oiseau s'envolait et disparaissait au loin.

– Je ne me serais jamais laissé avoir, protesta le géant. Et de toute manière, les oiseaux, ça se pose dans le premier arbre venu.

– J'essaie de vous permettre de rentrer chez vous, l'honneur intact et en un seul morceau. Vous ne me facilitez pas la tâche.

– En un seul morceau ?

– Vous avez exilé Thor à Midgard, mais il est de retour. Il ne va pas tarder, ce n'est qu'une question de temps.

Le géant cligna des yeux.

– Mais j'ai son marteau, dit-il. Je l'ai changé en ce rocher sur lequel je suis assis.

– Rentrez chez vous.

– Mais si je ramène Freya à Jotunheim, elle

ne fera que me crier dessus et tout rendre encore pire. Et si j'emporte le marteau de Thor il viendra le chercher, et un jour il le reprendra, et alors *là* il me tuera.

Odd approuva de la tête. C'était vrai. Il le savait.

Lorsque, au cours des années suivantes, les dieux raconteraient cette histoire dans leurs grandes salles de banquets, ils hésiteraient toujours à ce moment du récit ; car dans un instant, Odd va plonger la main dans son pourpoint et en sortir un objet en bois sculpté, et aucun d'entre eux, quels que soient ses efforts, ne saurait avec certitude ce que c'était.

Certains dieux prétendraient que c'était une clé de bois, d'autres que c'était un cœur. Une école de pensée soutiendrait qu'Odd avait présenté au géant une sculpture réaliste du marteau de Thor, et que le géant, incapable de distinguer le vrai du faux, s'était enfui, saisi de terreur.

Ce n'était rien de tout cela.

Avant de le sortir, Odd dit :

– Mon père a rencontré ma mère au cours d'un raid de notre village, quelque part en Écosse. C'est loin vers le sud, pour nous. Il l'a découverte alors qu'elle tentait de cacher les moutons de son père dans une grotte, et il n'avait jamais rien vu d'aussi beau qu'elle. Alors il la ramena chez nous, avec les moutons. Il ne voulut même pas la toucher avant de lui avoir suffisamment appris notre langue pour pouvoir lui demander sa main. Mais il racontait que pendant le voyage du retour, elle était si belle qu'elle illuminait l'univers. Et c'était vrai. Elle illuminait son univers, comme le soleil d'été.

— C'était avant ta naissance, fit remarquer le géant de glace.

— C'est vrai, concéda Odd. Mais je l'ai vu.

— Comment ?

Odd sut, sans qu'on le lui eût dit, que ce serait très, très mal de mentionner au géant de glace la mare dans la forêt, et encore davantage les formes qu'il avait vues bouger dans l'eau la nuit précédente. Il mentit, mais c'était la vérité aussi.

— Je l'ai vu dans les yeux de mon père. Il l'aimait, et il y a quelques années de cela, il a commencé à fabriquer quelque chose pour elle ; mais il l'a laissé inachevé, et ensuite il n'est pas revenu le terminer. Alors, la nuit dernière, je l'ai achevé pour lui. Au début, je ne savais pas à quoi cela devait ressembler, et puis je l'ai vue... Enfin je veux dire, je l'ai imaginée, ma mère, à l'époque de leur rencontre. Volée à son peuple et à sa terre, mais courageuse et volontaire, et déterminée à ne céder ni à la peur, ni au chagrin, ni à la solitude.

Le géant resta muet.

– Tu es venu ici pour la beauté, n'est-ce pas? ajouta Odd. Et tu ne peux pas rentrer les mains vides.

Il plongea la main dans son pourpoint et en sortit ce qu'il avait sculpté. La sculpture de son père, celle qu'il avait terminée. Elle figurait sa mère, sa mère avant sa naissance. C'était la plus belle chose qu'Odd eût jamais fabriquée, et elle était magnifique.

Le géant de glace la regarda, les yeux plissés. Là, l'espace d'un instant, il sourit. Il mit la tête sculptée dans sa bourse et dit :

– C'est… remarquable. Et très beau. Oui. Je vais l'emporter avec moi à Jotunheim, et elle illuminera ma salle de banquet.

Le géant de glace hésita, puis ajouta, avec un peu de mélancolie :

– Crois-tu que je sois obligé de dire au revoir à Dame Freya ?

– Si vous le faites, elle risque encore de vous crier dessus.

– Ou de me supplier de l'emmener.

Odd aurait pu jurer que le géant de glace frémissait à cette idée.

Le géant fit un pas pour s'éloigner du garçon, et en s'éloignant, il grandit. Il passa de la taille d'une haute colline à celle d'une montagne. Puis il leva un bras dans le gris du ciel hivernal. Sa main disparut dans les nuages…

– Je ferais mieux de mettre les éléments de mon côté pour partir, dit-il. Quelque chose pour effacer mes traces et me rendre difficile à suivre.

Odd ne distingua pas ce que fit le géant de

glace, mais lorsqu'il baissa la main, la neige se mit à tomber à gros flocons blancs qui voltigèrent et tourbillonnèrent et obscurcirent le monde. Le géant commença à s'éloigner à pas lourds dans le blizzard.

– Eh ! lui cria Odd. Je ne connais pas votre nom !

Mais la silhouette ne l'entendit pas, ou si elle l'entendit, elle ne répondit pas, et en quelques instants elle ne fut plus visible.

CHAPITRE 7

QUATRE TRANSFORMATIONS ET UN REPAS

L'AIGLE LE TROUVA ASSIS sur la muraille, à un endroit dont il avait dégagé la neige de son mieux. Le grand oiseau se posa à côté du garçon.

– Ça va ?

C'était le crépuscule, et la neige tombait avec plus de douceur à présent.

– J'ai froid, dit Odd. J'ai failli être emporté

Le grand oiseau se posa à côté du garçon.

par le vent deux ou trois fois. Je commençais à craindre de devoir passer le restant de ma vie sur ce mur. Mais à part ça, oui, ça va.

L'aigle se contenta de le regarder.

– Le géant de glace est parti, dit encore Odd. Je l'ai fait partir.

– Comment ?

– Par magie.

Odd sourit et pensa : *Du moins si la magie consiste à laisser les choses faire ce qu'elles veulent, ou être ce qu'elles veulent...*

– Descends, lui intima l'aigle.

Odd considéra les roches enneigées qui constituaient le mur.

– Je ne peux pas. Je me tuerais.

L'aigle s'élança du bord de la muraille et descendit en spirale. Il ne tarda pas à revenir, avec de lourds battements d'ailes, porteur d'une chaussure de cuir souple à l'air usé qu'il laissa tomber sur la muraille à côté d'Odd. Puis il repartit, dans la pénombre neigeuse, et revint avec une autre chaussure identique à la première.

– Elles sont trop grandes pour moi, observa Odd.

– C'est à Loki.

– Ah bon.

Le garçon se souvint des chaussures de l'histoire, celles qui marchaient dans le ciel. Il les enfila. Puis, hésitant, le cœur tambourinant, il clopina jusqu'au bord de la muraille. Une fois arrivé au bord, il s'arrêta.

Il essaya de sauter, et rien ne se passa. Il ne bougea pas un muscle.

Allez, quoi! dit-il à ses pieds, au bon comme à celui qui était brisé et tordu, celui qui lui faisait mal en permanence. *Vous portez des chaussures magiques volantes. Marchez en l'air, et tout ira bien.*

Mais ses pieds et ses jambes ne l'écoutèrent nullement, et il resta où il était. Il se tourna vers l'aigle, qui tournoyait impatiemment au-dessus de sa tête.

– Je ne peux pas, constata-t-il. J'ai essayé et je n'y arrive pas.

L'aigle poussa un cri strident, battit puissamment des ailes et s'éleva dans l'atmosphère enneigée.

Un autre cri strident. Odd tourna la tête. L'aigle fondait sur lui, les ailes déployées, son bec crochu grand ouvert, les ergots tendus, son œil unique embrasé…

Odd ne put s'empêcher de faire un pas en arrière, et les serres de l'aigle le manquèrent de moins d'un travers de plume…

– Pourquoi tu as fait ça? cria-t-il à l'oiseau.

Puis il baissa la tête et vit que le sol n'était

plus sous ses pieds. Odd était très haut, debout sur rien dans les airs.

– Oh, dit-il.

Alors il sourit, et il dévala le ciel d'une glissade, comme un garçon jouant sur une colline, tout en criant quelque chose qui ressemblait énormément à un « Yahouou ! », et il atterrit aussi légèrement qu'un flocon de neige.

Il se propulsa de nouveau en l'air et se mit à sauter, dix, vingt, trente pieds à la fois...

Il s'approcha de la grappe de bâtisses en bois qui composait Asgard, et ne s'arrêta que lorsqu'il entendit des bruits de chats, des miaous et des *mrraôw*...

La déesse Freya était bien moins effrayante qu'il ne l'avait imaginée d'après la description du géant de glace. C'était vrai, elle était belle, et ses cheveux étaient dorés, et ses yeux étaient bleus comme un ciel d'été, mais ce fut son sourire qui lui plut : amusé et doux, et bienveillant. Il était sans danger, ce sourire, et Odd lui raconta tout, ou presque.

Lorsqu'elle eut compris qui étaient en réalité les trois animaux, son sourire s'élargit.

– Bon, bon, bon, dit-elle.

Puis elle ajouta :

– Les garçons !

Ils étaient dans la grande salle à hydromel, à présent. Cette salle était vide et aucun feu ne brûlait dans l'âtre.

La déesse tendit le bras droit.

L'aigle, qui s'était posé sur le dossier richement sculpté du plus haut des fauteuils, s'approcha d'un coup d'aile et se posa maladroitement sur son poignet. Ses serres l'agrippèrent si fort que des gouttes de sang écarlate perlèrent sur la peau pâle, mais Freya n'eut pas l'air de le remarquer, ni d'en souffrir.

Elle gratta la nuque de l'oiseau du bout de l'ongle, et il se lissa les plumes contre elle.

– Odin, Père-de-Tout, dit-elle. Le plus sage des Aesir. Le dieu borgne de la Guerre. Toi qui as bu l'eau de sagesse au puits de Mimir… reviens-nous.

Et de la main gauche, elle se mit à remodeler l'oiseau, à pousser dessus, à le changer…

Un homme de haute taille, à la barbe grise, aux traits sages et cruels, se dressa devant eux. Il était nu, ce qu'il parut à peine remarquer. Il s'approcha du haut fauteuil, ramassa une grande houppelande grise, un très ancien chapeau à bord mou – dont Odd aurait pu jurer qu'il n'y était pas quelques instants plus tôt – et s'en vêtit.

– J'étais loin, dit-il à Freya d'un air absent.

Et je m'éloignais à chaque instant qui passait. Bien joué.

Mais Freya accordait déjà toute son attention à l'ours, et elle pétrissait à deux mains, pressant et modelant, telle une mère ourse léchant ses petits pour leur donner forme. Sous ses blanches mains, l'animal changea. Il était roux de barbe et couvert de poils, et le haut de ses bras était aussi noueux que les vieux arbres puissants. Hormis les géants, c'était l'homme le plus grand qu'Odd eût jamais vu. Il avait l'air aimable et fit un clin d'œil au garçon, qui en conçut une étrange fierté.

Odin jeta une tunique à Thor, lequel s'enfonça dans l'ombre pour s'habiller. Puis il s'immobilisa un instant et se retourna.

– Il me faut mon marteau, dit-il. J'ai besoin de Mjollnir.

– Je sais où il est, l'informa Odd. Il était caché sous la forme d'un rocher. Je peux te le montrer, si tu veux.

– Quand nous aurons terminé de régler l'important, peut-être ? intervint le renard. C'est mon tour.

Freya regarda l'animal, amusée.

– Tu sais, railla-t-elle, beaucoup de gens te trouveraient bien plus supportable sous cette forme. Es-tu certain de ne pas vouloir que je te laisse ainsi ?

Le renard gronda, mais son grondement se mua en toux étranglée, et il dit :

– Belle Freya, tu te ris de moi. Mais le barde ne chante-t-il pas :

« Seule une femme belle et juste et pleine de compassion

Avec la glorieuse Freya soutient la compa- raison » ?

– Loki, c'est toi la cause de tout ce qui s'est passé, dit-elle. *Tout.*

– Oui. Je l'admets. Mais c'est moi aussi qui ai trouvé le garçon. Il ne faut pas voir que le négatif.

– Un jour, murmura Freya d'une voix douce, je regretterai ceci.

Mais elle sourit pour elle-même, et elle tendit la main pour toucher la truffe noire du renard, puis remonta le doigt entre ses oreilles et le long de son dos, jusqu'au bout de la queue.

Un miroitement – et un homme se tenait devant eux, glabre, les cheveux de flamme, aussi blanc de peau que Freya elle-même. Des yeux tels des éclats de glace verte. Odd se demanda si Loki avait encore ses yeux de renard, ou si le renard avait toujours eu les yeux de Loki.

Thor lui jeta quelques vêtements.

– Couvre-toi, dit-il sans ménagement.

Alors Freya s'intéressa à Odd. Son doux sourire emplit l'univers du garçon.

— À toi.

— Je suis toujours ainsi, dit Odd.

— Je sais, répondit Freya.

Elle s'agenouilla à côté de lui, tendit la main vers sa jambe blessée.

— Je peux ?

— Hum. Si vous voulez.

Elle le souleva comme s'il eût été aussi léger qu'une plume, et le reposa sur la grande table de banquet des dieux. Elle toucha son pied droit, et détacha adroitement sa jambe au niveau du genou. Elle passa un ongle sur le mollet, et la chair s'ouvrit. Freya observa l'os et se rembrunit.

— Tout est broyé, dit la déesse, au point que même moi je ne puis le réparer.

Puis elle ajouta :

– Mais je peux t'aider.

Elle enfonça la main dans la jambe du garçon, pétrissant les os déchiquetés, assemblant les fragments de l'intérieur, les lissant ensemble. Puis elle ouvrit la chair du pied et répéta l'opération, remettant en place les morceaux d'os de pied et d'orteils. Ensuite, elle emballa de nouveau le squelette de jambe et de pied dans la chair, scella le tout, et la déesse Freya recolla la jambe d'Odd à son corps, et ce fut comme si cette jambe avait toujours été là.

– Navrée, dit-elle. J'ai fait tout mon possible. C'est mieux, mais ce n'est pas encore guéri.

Elle parut se perdre dans ses pensées, puis ajouta avec vivacité :

– Pourquoi ne pas la remplacer entièrement ? Que dirais-tu d'une patte de chat ? Ou de poulet ?

Odd sourit et secoua la tête.

– Ma jambe me va très bien, dit-il.

Il se leva prudemment, pesa de tout son poids sur sa jambe droite, en s'efforçant d'oublier qu'il venait de la voir décrochée à partir du genou. Cela ne faisait pas mal. Pas vraiment. Pas comme avant.

– Il faudra du temps, l'avertit Freya.

Une main énorme vint s'abattre sur l'épaule du garçon et l'envoya valser.

– À présent, mon garçon, tonna Thor, raconte-nous exactement comment tu as vaincu la puissance des géants de glace.

Il paraissait bien plus joyeux que quand il était un ours.

– Il n'y en avait qu'un, dit Odd.

– Quand *moi* je raconterai l'histoire, ils seront au moins une douzaine.

– Je veux récupérer mes chaussures, rouspéta Loki.

Il y eut un festin ce soir-là dans la grande salle à hydromel des dieux. Odin, assis en bout de table dans le superbe fauteuil sculpté, parla presque aussi peu que lorsqu'il était aigle. Thor, à sa gauche, tonitruait avec enthousiasme. Loki, que l'on obligea à s'asseoir à l'autre bout de la table, demeura relativement plaisant jusqu'à ce qu'il fût soûl, puis, telle une chandelle qui s'éteint d'un coup, devint pénible et dit des méchancetés, des idioties impossibles à répéter, il jeta des regards concupiscents aux déesses, et bientôt, Thor et un homme de grande taille à qui il manquait une main – dont Odd crut comprendre qu'il s'appelait Tyr – le traînèrent hors de la salle.

– Il n'apprend jamais, constata Odd.

Il crut l'avoir dit pour lui-même, dans sa tête, mais Dame Freya, qui était assise à côté de lui, lui répondit :

– Non. Il n'apprend jamais. Aucun d'entre eux. Et ils ne changent pas, non plus. Ils ne peuvent pas. C'est ça, être un dieu.

Odd hocha la tête. Il pensait comprendre, un peu.

Puis Freya demanda :

– As-tu assez mangé ? As-tu bu ton content ?

– Oui, merci.

Le vieil Odin se leva de sa chaise et s'approcha d'eux. Il essuya la graisse d'oie de sa bouche avec sa manche, l'étalant encore davantage sur toute sa barbe grise. Il dit, doucement, à l'oreille du garçon :

– Sais-tu quelle était la source à laquelle tu as bu, mon garçon ? Sais-tu d'où venait l'eau ? Sais-tu ce qu'il m'en a coûté d'y boire, il y a bien des années ? Tu ne croyais pas avoir vaincu le géant de glace tout seul, quand même ?

– Merci, répondit simplement Odd.

– Non. Merci à toi.

Le Père-de-Tout s'appuyait sur un bâton sculpté de têtes : des chiens, des chevaux, des hommes et des oiseaux, des crânes, des rennes, des souris et des femmes, tout cela enroulé autour du bâton. On aurait pu le regarder pendant des heures sans remarquer tous les détails. Odin poussa la canne vers Odd et dit :

– Voilà pour toi.

– Mais...

Le vieux dieu le considéra gravement de son œil unique.

– Il n'est jamais sage de refuser les cadeaux des dieux, mon garçon.

– Bon, merci.

Et il prit le bâton. Il était confortable. Odd avait l'impression qu'il pourrait marcher longtemps, du moment qu'il s'appuyait dessus.

Odin plongea la main dans un pichet, et

quand il la ressortit il tenait entre ses doigts un petit globule d'eau pas plus gros qu'un œil humain. Il avança la boule liquide devant la flamme d'une bougie.

– Regarde là-dedans, dit-il.

Odd regarda dans la boule d'eau, et son univers devint un arc-en-ciel, puis tout vira au noir.

Lorsqu'il rouvrit les yeux, il était chez lui.

Chapitre 8

APRÈS

ODD S'APPUYA SUR SON BÂTON et contempla le village en contrebas. Puis il s'avança sur le chemin qui le ramenait chez lui. Il boitait toujours, un peu. Son pied droit ne serait jamais aussi fort que le gauche. Mais il ne lui faisait plus mal, et pour cela Odd remerciait Freya.

En descendant vers le village sur le chemin, il entendit un murmure de torrent. C'était le bruissement de la fonte des neiges, de l'eau nouvelle tâchant de trouver son chemin jusqu'à des terres plus basses. De temps en temps il entendait un *floupp!* quand la neige tombait d'un arbre sur le sol en dessous, parfois le *broumm broumm broumm*, suivi d'un craquement sec, de la glace qui avait recouvert la baie pendant cet hiver interminable et commençait à se fendre et à se briser.

Dans quelques jours, se dit Odd, *il n'y aura plus que de la boue. Dans quelques semaines, ce sera une explosion de verdure.*

Odd gagna le village. Un instant, il se demanda s'il était arrivé au mauvais endroit, car rien n'était comme il pensait l'avoir laissé moins d'une semaine auparavant. Il se rappela comme les animaux avaient grandi en atteignant Asgard et comment, ensuite, ils avaient semblé rétrécir.

Il se demanda si c'était l'air d'Asgard qui avait fait cela, ou si c'était arrivé lorsqu'il avait bu l'eau de la mare.

Il gagna la porte du gros Elfred et y frappa à coups secs avec son bâton.

– Qui est-ce ? cria une voix.

– C'est moi. Odd.

Il y eut un bruit dans la cahute, un chuchotement pressé, puis des gens parlant à voix basse. Odd entendait la plus forte de ces voix ronchonner sur un bon à rien voleur de saumon et dire qu'il était temps de lui infliger une leçon qu'il n'oublierait pas de sitôt. Il entendit une serrure que l'on déverrouillait.

La porte s'ouvrit et le gros Elfred regarda à l'extérieur. Il posa sur Odd un regard fixe, apparemment troublé.

– Désolé, prononça-t-il, l'air pas désolé du tout. Je croyais que mon fugueur de beau-fils était là.

Odd baissa les yeux sur l'homme. Puis il sourit et dit :

– C'est lui. Je veux dire, c'est moi. Je suis lui. Je suis Odd.

Le gros Elfred ne répondit rien. Les têtes de ses nombreux fils et filles apparurent autour de lui. Elles se levaient vers Odd avec nervosité.

– Ma mère est là ? demanda-t-il.

Le gros Elfred toussa.

– Tu as grandi. Si c'est bien toi.

Odd se contenta de sourire… un sourire tellement énervant que c'était forcément lui.

– Ils se sont beaucoup disputés quand tu es parti, raconta le petit dernier du gros Elfred. Elle disait qu'on devait aller te chercher et que c'était la faute de papa si tu t'étais enfui, et il disait que c'était pas vrai et qu'il irait pas et bon débarras à la mauvaise graine, alors elle a dit d'accord et elle est repartie dans la

« C'est lui. Je veux dire, c'est moi.
Je suis lui. Je suis Odd. »

vieille maison de ton père de l'autre côté du village.

Odd fit un clin d'œil au garçon, comme celui que Thor lui avait fait, il tourna les talons et, s'appuyant sur son bâton sculpté, traversa en boitant le village qui lui paraissait déjà trop petit, et pas seulement parce qu'il avait tant grandi depuis son départ. Bientôt la glace fondrait et les drakkars remettraient les voiles. Il n'imaginait pas que quiconque pût lui refuser une place à bord. Plus maintenant qu'il était grand. On avait toujours besoin d'une paire de bras aux avirons, après tout. Et on ne discuterait pas non plus s'il choisissait d'emmener un passager...

Il se baissa pour frapper à la porte de sa maison natale. Et quand sa mère ouvrit, avant qu'elle ait pu le serrer dans ses bras, avant qu'elle ait pu pleurer et rire et pleurer encore, avant qu'elle ait pu lui proposer à manger et s'étonner qu'il ait tant grandi et que les enfants poussent si vite dès qu'on ne les voyait plus, avant que rien de tout cela n'ait pu arriver, Odd dit :

– Bonjour, mère. Aimerais-tu retourner en Écosse ? Au moins pour un moment.

– Ce serait une bien belle chose, répondit-elle.

Et Odd sourit. Il baissa la tête pour passer la porte, et il entra.

D'autres Livres

wiZ
Albin Michel

www.wiz.fr
Logo Wiz : Cédric Gatillon

Composition : Nord Compo
Impression : Normandie Roto Impression s.a.s., en octobre 2010
Éditions Albin Michel
22, rue Huyghens 75014 Paris
ISBN : 978-2-226-19554-8
ISSN : 1637-0236
N° d'édition : 19055/01. N° d'impression : 103597
Dépôt légal : novembre 2010
Loi n° 49-956 du 16 juillet 1949 sur les publications destinées à la jeunesse.
Imprimé en France.